collection améthyste

Saute, saute, c'est la fête

texte de Claudette Bourgeois-Richard
illustrations de Denise Bourgeois

Bouton d'or Acadie

Autrefois, j'avais 2 ans.
Maintenant, moi, j'ai 3 ans.
L'an prochain, j'aurai 4 ans.
Je serai un peu plus grand.

Saute, saute, c'est la fête.
Saute, saute, je m'arrête.
Me voici rendu chez toi.
Veux-tu jouer avec moi ?

A, a, a, je regarde le gros chat,

a, a, a, ronronner près de papa.

É, é, é, je regarde l'araignée,
é, é, é, tisser sa toile argentée.

I, i, i, je regarde la brebis,
i, i, i, bêler dans la bergerie.

O, o, o, je regarde le moineau,
o, o, o, picorer du blé dans l'eau.

U, u, u, je regarde la tortue,
u, u, u, avancer d'un air fourbu.

Pour des crayons, j'avais des sous.

1, 2, 3, 4 beaux petits sous.

Au fond de ma poche, y'avait un trou.

Ils sont passés par le p'tit trou.

Ah ! moi, j'ai beaucoup de peine,
car j'ai percé ma mitaine.
Je demande à ma marraine
s'il lui reste un bout de laine.

Pantalon et capuchon,
espadrilles, je m'habille.
Fini de tourner en rond.
Je vais nourrir mes poissons.

Une grenouille près du ruisseau,
flic flac floc, saute dans l'eau.
Un oiseau sur le roseau
fait tchip, tchip ! tchip, tchip tchirlo !

Hirondon hirondelle,
as-tu vu comme elle est belle ?
Ouvrant grandes ses deux ailes,
elle fait des ritournelles.

J'entends le vent qui chantonne
et les feuilles qui tourbillonnent.
Feuilles jaunes, feuilles rouges,
ça fait cric crac quand je bouge.

Je fais un bonhomme de neige.
Son nez, c'est une carotte.
Ah ! mon pauvre chien grelotte !
Mettons-lui une calotte.

La neige enfin toute fondue,
les tulipes sont apparues.
La nature se fait belle.
Viens jouer à la marelle.
Bicyclettes.
Pirouettes.
Partout nous pouvons courir
et avoir bien du plaisir.

C'est l'été, é, é, é, é.

Les fleurs dansent dans les prés.

Il y a un grand soleil

qui te chauffe les oreilles.

Il y a du sable fin

qui te chatouille les mains.

Voici une coccinelle
à six pattes sur la margelle.

Voici une verte fougère
en plein milieu du parterre.

Pan ! pan ! l'éléphant,
si gros, si pesant.
Pan ! pan ! l'éléphant
s'en vient à pas lents.

Papi papi papillon,
si joli et si léger.
Il n'arrête pas de bouger.
Je ne peux pas l'attraper.

Sautons, sautons, face à face.
Sautons, sautons, dos à dos.
À bientôt, mon cher copain,
nous nous reverrons demain.

Autrefois, j'avais 4 ans.

Maintenant, moi, j'ai 5 ans.

L'an prochain, j'aurai 6 ans.

Je serai un peu plus grand.

À propos de Bouton d'or Acadie…
Depuis longtemps en Acadie, à la saison florissante, la nature est parsemée de marguerites jaunes qu'on surnomme boutons d'or. En hommage à cette vision fleurie, la fondatrice de Bouton d'or Acadie enr., Marguerite Maillet, a voulu représenter l'entreprise par le symbole floral que rappelle son prénom. Exprimant à la fois le respect d'un imaginaire ancestral et de l'éclosion de la jeunesse, Bouton d'or Acadie enr. participe au développement de la littérature jeunesse en Acadie et partout dans le monde. (Judith Hamel)

Texte : Claudette Bourgeois-Richard
Illustrations : Denise Bourgeois

Mise en pages : Marguerite Maillet

Collection améthyste   ISSN 1206-2898
Saute, saute, c'est la fête ISBN 2-922203-34-4

Dépôt légal : 1er trimestre 2001
Bibliothèque nationale du Canada
Bibliothèque nationale du Québec

Imprimeur : AGMV Marquis
Distributeur : Prologue

© Bouton d'or Acadie
   204C - 236, rue Saint-Georges
   Moncton, N.-B., E1C 1W1, Canada

Téléphone : (506) 382-1367
Télécopieur : (506) 854-7577
Courriel : boutonor@nb.sympatico.ca
Internet : www.boutondoracadie.com

Bouton d'or Acadie a bénéficié de l'aide financière du Conseil des Arts du Canada
et de la Direction des arts du Nouveau-Brunswick pour la publication de ce livre.